루미곰의
이탈리아어 영어 대조
여행회화, 단어

꿈그린 어학연구소

루미곰의 이탈리아어 영어 대조 여행회화, 단어

발 행 2024년 07월 31일
저 자 꿈그린 어학연구소
펴낸곳 꿈그린
E-mail kumgrin@gmail.com

ISBN 979 - 11 - 93488 - 24 - 9

루미곰의
이탈리아어 영어 대조
여행회화, 단어

꿈그린 어학연구소

머리말

이 책은 이탈리아 체류 시 필요한 단어와 회화를 상황 별로 정리한 이탈리아어 기초 여행 회화 책입니다.

특히 여행 회화책이 필요한 상황에서 상황 별 필요 문장 습득 뿐만 아니라 기초적인 문법과 필수 단어도 같이 익히고 싶으신 분들에게 이 책은 적격입니다.

이미 시중에 많은 이탈리아어 회화책이 나와 있는 상황에서 이 책이 기존 책들과의 차별 점은 모든 이탈리아어 문장 및 단어의 영어 직역도 같이 소개했다는 점입니다.

이렇게 이탈리아어와 영어를 대조해 놓았기에 이탈리아어와 영어가 자주 쓰이는 유럽에 체류하면서 기본적인 이탈리아어 지식을 얻고자 하는 독자에게도 이 책을 추천드릴 수 있습니다.

특히 이 책은 필수 여행 회화부터 기타 생활 속 표현을 중심으로 약 350 개의 중요 문장 표현과 500 개의 기초 단어를 테마 별로 정리하는데 중점을

두었습니다. 발음 규칙이나 문법 맛보기 설명에 있어서도 본문 문장을 이해하는데 필요한, 이탈리아어를 처음 접하는 분들이 당장에 알아야 할 아주 기초적인 내용만을 소개하는데 집중하였습니다.

이탈리아어 및 영어 회화 대조, 이탈리아어 기초 문법 숙지 및 테마 별 단어 공부를 모두 같이 할 수 있다는 점이 이 책의 매력입니다.

이 책을 통하여 많은 여행자들이 쉽게 이탈리아어를 익히고 이탈리아어권 여행에 재미를 더할 수 있기를 바랍니다.

2024 년 07 월
꿈그린 어학연구소

차 례

8

1. 알파벳 (Alfabeto)

알파벳	명칭	발음
A, a	아 [a]	/a/
B, b	비 [bi]	/b/
C, c	치 [tʃi]	/k/, /tʃ/
D, d	디 [di]	/d/
E, e	에 [e]	/e/, /ɛ/
F, f	에페 [ˈɛffe]	/f/
G, g	지 [dʒi]	/g/, /dʒ/
H, h	아까 [ˈakka]	묵음
I, i	이 [i]	/i/, /j/
L, l	엘레 [ˈɛlle]	/l/
M, m	엠메 [ˈɛmme]	/m/
N, n	엔네 [ˈɛnne]	/n/
O, o	오 [ɔ]	/o/, /ɔ/
P, p	삐 [pi]	/p/

Q, q	쿠 [ku]	/k/
R, r	에레 [ˈɛrre]	/r/, /ɾ/
S, s	에세 [ˈɛsse]	/s/, /z/
T, t	티 [ti]	/t/
U, u	우 [u]	/u/, /w/
V, v	비 [vi], 부 [vu]	/v/
Z, z	제따 [ˈdzɛːta]	/ts/, /dz/

*J(이 룽가), K(깝빠), W(도삐아 부), X(익스), Y(입실론)은 외래어, 고전어를 표기할 때만 사용됩니다.

2. 발음 규칙

1) 주의해야할 모음 발음

이탈리아어에서는 모음은 a, e, i, o, u 의 발음이 아, 에, 이, 오, 우로 일관됩니다.

단, e와 o에는 열린 소리 è, ò 와 닫힌 소리 é, ó 가 있어서, 개음 기호를 쓴 경우는 강세를 주면서 길게 발음 하게 되어 è[애], ò[어]로, 폐음 기호를 쓴 경우에는 강세를 주되 짧게 발음하여 é[에], ó[오]처럼 발음 합니다.

2) 주의해야할 자음 발음

C

[k]: a, o, u가 올 때 'ㄲ'로 발음

  (예: cane [카네], cosa [코사], cultura [쿨투라])

[tʃ]: e, i가 올 때 'ㅊ'로 발음

  (예: cena [체나], città [치타])

단, ch의 경우 e, i가 올 때 [k] 소리로 발음

  (예: che [께], chi [끼])

G

[g]: a, o, u가 올 때 'ㄱ'로 발음

  (예: gatto [가또], gonna [곤나], gusto [구스토])

[dʒ]: e, i가 올 때 'ㅈ'로 발음

  (예: gelato [젤라또], gioco [조코])

단, gh의 경우 e, i가 올 때 [g] 소리로 발음

  (예: spaghetti [스파게티], laghi [라기])

*gn은 [ɲ] 발음, gl은 i와 함께 [ʎ] 발음이 납니다.

즉, gn, gl의 g는 'ㄱ', 'ㅈ'발음이 나지 않습니다.

  (gn 예: gnocchi [뇨끼], signore [시뇨레])

  (gl 예: famiglia [파밀리아], figlio [필리오])

H

항상 묵음입니다. (예: hanno [안노], hotel [오텔])

Q

q는 'ㄲ' 발음이, qu는 [kw]발음이 납니다.

　(예: quando [꽌도], acuqa[아쿠까])

R

[r]: 혀를 입천장 밑에 두고 강하게 굴리는 소리

　(예: rosa [ㄹ로사], carro [까ㄹ로])

S

[s]: 일반적으로는 'ㅅ' 발음

　(예: sasso [사쏘], salve [살베])

[z]: 유성 자음 앞에 위치하거나 모음 사이에서는
'ㅈ' 발음 (예: casa [카자], rosa [로자])

*SC

[ʃ]: e, i가 올 때 'ㅅ' 발음

(예: scena [셰나], scimmia [심미아])

[sk]: a, o, u 및 h + e,i가 올 때 'ㅅㅋ' 발음

(예: scuola [스쿠올라], schema[스케마])

z

[ts]: '쯔'과 'ㅊ' 사이의 발음. 'ㅊ'입모양으로 '쯔'를 발음해보세요.

   (예: stazione [스타찌오네], pazzo [파쪼])

[dz]: 단어에 이중 zz이 있거나 z으로 시작하는 단어의 경우 보통 이 발음으로, 'ㅅ'입 모양으로 'ㅈ'를 발음해보세요.

   (예: zanzara [잔짜라], zero [제로])

Yes.

Sì.　　[씨]

네.

No.

No.　　[노]

아니요.

I want…

Voglio... [볼리오]

~원해요.

I would like to....

Vorrei...   [보레이...]

~하고 싶어요.

Do you have….?

Hai...?   [아이...]

~있으세요?

I need…

Ho bisogno di... [오 비숀요 디...]

~필요해요.

Can I...?　/Could I…?

Posso...?   [포쏘...?] /

Potresti…?   [포트레이...?]

~해도 돼요?

Can you ....? / Could you ....?

Puoi...?   [푸오이...?] /

Potresti...?   [포트레스티...?]

~할 수 있어요?

Do you know ....?

Sai...?   [사이...?]

~아세요?

I do not know.

Non lo so.   [논 로 소]

몰라요.

< 인칭대명사 >

나	io
너 / 당신	tu / Lei(격식)
그	lui
그녀	lei
우리	noi
당신들	voi
그들	loro

< 의문사 >

누가	chi
언제	quando
어디서	dove
무엇을	cosa
어떻게	come
왜	perché
어느	quale

01

인 사

Hello!

Ciao! [챠오]

안녕하세요.

Good morning!

Buongiorno! [본조르노]

안녕하세요. (아침)

Good afternoon!

Buon pomeriggio! [본 포메리지오]

안녕하세요. (낮)

Good evening!

Buonasera!   [보나세라]

안녕하세요. (오후-;저녁)

Good night!

Buonanotte!   [보나노떼]

좋은 밤 되세요.

Bye!

Arrivederci!   [아리베데르치]

안녕히! (헤어질 때)

See you soon!

A presto!   [아 쁘레스또]

곧 봐요.

Sleep well!

Dormi bene!   [도르미 베네]

잘 자요.

Happy Birthday!

Buon compleanno!   [본 콤플레안노]

생일 축하합니다.

Merry Christmas!

Buon Natale!   [본 나탈레]

즐거운 성탄절 되세요.

Happy new year!

Felice anno nuovo! [펠리체 안노 누오보]

새해 복 많이 받으세요.

02

안 부

Long time no see.

È passato tanto tempo!

[에 파사토 탄토 뗌포]

오랜만입니다.

How are you?

Come va?   [꼬메 바]

Come stai? (격식) [꼬메 스타이]

잘 지내요?

I am fine.

Sto bene.　　　[스또 베네]

잘 지내요.

Good, thanks.

Bene, grazie.　　[베네, 그라찌에]

좋아요, 고마워요.

And you?

E tu?　[에 투]

당신은요?

Not bad.

Non c'è male.　[논 체 말레]

나쁘지 않아요.

Not so good.

Non tanto bene.

[논 탄또 베네]

아주 좋지는 않아요.

I am sorry to hear that.

Mi dispiace sentirlo.

[미 디스삐아체 센띠를로]

그런 말을 듣게 되어 유감입니다.

03

자기소개

Nice to meet you!

Piacere! [피아체레]

I am very happy to meet you.

Molto lieto/lieta. [몰또 리에토/리에따]

만나서 반갑습니다.

What's your name?

Come ti chiami? [꼬메 티 끼아미]

Come si chiama? [꼬메 씨 끼아마] (공손)

당신의 이름은 무엇입니까?

My name is…

Mi chiamo...

[미 끼아모]

제 이름은 ~ 입니다.

What do you do for a living?

Che lavoro fai?

[케 라보로 파이]

직업이 무엇이죠?

I am...

Sono …

[I am...]

저는 ~ 입니다.

How old are you?

Quanti anni hai?

[콴티 안니 아이]

몇 살이십니까?

I am ... years old.

Ho ... anni.

[오 ... 안니]

~살 입니다.

Are you married?

Sei sposato/a?

[세이 스포사토/스포사타]

기혼이신가요?

I am single.

Sono single. [소노 싱걸]

저는 미혼입니다.

문법 맛보기

본문에 쓰인 mi chiamo, ti chiami는 재귀 동사 chiamarsi를 사용한 문장입니다. 재귀 동사는 동사 마지막 모음e 를 si 로 치환한 모양으로, 주어의 행위가 주어에게 영향을 끼치는 상황이나 상호작용을 나타냅니다. 즉 chiamare(부르다, 전화하다)가 재귀 동사로 사용되어 mi chiamo는 '내 자신을 ~로 부르다' 즉 이름을 소개하는 표현이 되었습니다.

	재귀 대명사	chiamarsi
Io (나)	mi	chiamo
Tu (너)	ti	chiami
Lui/Lei (그/그녀)	si	chiama
Noi (우리)	ci	chiamiamo
Voi (너희)	vi	chiamate
Loro (그들)	si	chiamano

< 사람 관련 단어 >

*

사람	la	**persona**	person
남자	l'	**uomo**	man
여자	la	**donna**	woman
소녀	la	**ragazza**	girl
소년	il	**ragazzo**	boy
쌍둥이(남)	il	**gemello**	twin (male)
쌍둥이(여)	la	**gemella**	twin (female)
유아(남)	il	**neonato**	newborn (male)
유아(여)	la	**neonata**	newborn (female)
어린이	i	**bambini**	children
어른(남)	l'	**adulto**	adult(male)
어른(여)	l'	**adulta**	adult(female)
미스	la	**signorina**	miss
미스터	il	**signore**	mister
동료	il/la	**collega**	colleague
가족	la	**famiglia**	family
부모님	i	**genitori**	parents
아버지	il	**padre**	father
어머니	la	**madre**	mother
이웃(남)	il	**vicino**	neighbor (male)
이웃(여)	la	**vicina**	neighbor (female)
아들	il	**figlio**	son
딸	la	**figlia**	daughter

남편	il	**marito**	husband
아내	la	**moglie**	wife
부부	la	**coppia**	couple
자매	la	**sorella**	sister
형제	il	**fratello**	brother
할머니	la	**nonna**	grandmother
할아버지	il	**nonno**	grandfather
손자 / 손녀	il/la	**nipote**	grandchild
사촌(남)	il	**cugino**	cousin(male)
사촌(여)	la	**cugina**	cousin(female)
친척	il/la	**parente**	relative
남자 친구	il	**fidanzato**	boyfriend
여자 친구	la	**fidanzata**	girlfriend
삼촌	lo	**zio**	uncle
이모, 고모	la	**zia**	aunt

*이 책에서는 단어 앞에 해당 정관사를 넣음으로써 단어의 성을 알 수 있게 하였습니다. 남성 단수와는 정관사 il, lo, 남성 복수와는 i, gli 가 쓰입니다. 여성 단수에는 정관사 la, 여성 복수는 le이 쓰임을 일단 기억해주세요. l'은 모음 앞에서 축약된 형태입니다.

04

사 과

Sorry!

Scusa! [스쿠사]

미안해.

I am sorry.

Mi dispiace. [미 디스삐아체]

죄송합니다.

I am very sorry.

Mi dispiace molto.

[미 디스삐아체 몰토]

정말 죄송합니다.

Excuse me.

Scusi.

[스쿠시]

실레합니다.

It is okay.

Va bene.

[바 베네]

괜찮아요.

Am I bothering you?

Ti sto disturbando?

[티 스토 디스투르반도]

제가 방해 했나요?

Don't worry.

Non ti preoccupare.

[논 티 프레오꾸빠레]

걱정 마세요.

Never mind.

Non importa.

[논 임포르타]

신경 쓰지 마세요.

I feel sorry for you.

Mi dispiace per te.

[미 디스삐아체 페르 테]

유감입니다.

05

감 사

Congratulations!

Congratulazioni!   [콩그라똘라치오니]

축하해요.

Thank you!

Grazie!   [그라찌에]

고마워요.

Thank you for the help.

Grazie per il tuo aiuto.

[그라찌에 페르 일 뚜오 아이우토]

도와주셔서 감사합니다.

Thank you so much!

Grazie mille!　[그라찌에 밀레]

정말 감사합니다.

How kind of you.

Sei molto gentile.

[세이 몰또 젠띨레]

너무 친절하세요.

You are welcome!

Di niente! / Prego!

[디 니엔테] / [프레고]

천만에요.

It was nothing.

Non è niente.

[논 에 니엔떼]

별것 아닙니다.

No problem!

Nessun problema.

[네쑨 프로블레마]

뭘요, 문제없어요.

My pleasure.

Il piacere è mio.

[일 피아체레 에 미오]

(도움이 되어) 기쁩니다.

06

부 탁

Could you help me?

Potresti aiutarmi?

[포트레스티 아이우타르미]

저 좀 도와주실 수 있으세요?

Can I ask you something?

Posso chiederti qualcosa?

[포쏘 끼에데르티 콸코사]

뭐 좀 여쭤봐도 되나요?

Of course!

Certo! [체르또]

네 물론이죠.

Can I take this?

Posso prendere questo?

[포소 프렌데레 퀘스토]

이것을 가져도 되나요?

Sure, go ahead. / Here you are.

Certo, vai avanti. / Eccoti.

[체르또, 바이 아반티] / [에꼬티]

그러세요. / 여기요.

Let me help you.

Lascia che ti aiuti.

[라샤 께 티 아이우티]

제가 도와드릴게요.

Yes, how can I help you?

Sì, come posso aiutarti?

[씨, 꼬메 포쏘 아이우타르티]

네, 무엇을 도와드릴까요?

No, sorry.

No, mi dispiace.   [노, 미 디스삐아체]

아뇨, 죄송해요.

No, I do not have time now.

No, non ho tempo adesso.

[노, 논 오 뗌포 아데쏘]

아뇨, 지금 시간이 없어요.

Wait a minute, please.

Aspetta un attimo, per favore.

[아스뻬따 운 앗띠모, 페르 파보레]

잠시만요.

OK.

D'accordo.   [다코르도]

좋습니다.

Perhaps.

Forse.   [포르세]

아마도요.

What day is it today?

Che giorno è oggi?

[케 조르노 에 오지]

오늘은 무슨 요일이죠?

Today is Tuesday.

Oggi è martedì. [오지 에 마르띠]

오늘은 화요일입니다.

What's the date today?

Qual è la data di oggi?

[콸 에 라 다타 디 오지]

오늘은 며칠입니까?

Today is March 9th.

Oggi è il 9 marzo.

[오지 에 일 노베 마르조]

오늘은 3월 9일입니다.

What time is it?

Che ora è? [케 오라 에] (단수 시간)

Che ore sono? [케 오레 소노] (복수 시간)

지금은 몇 시입니까?

It is one o'clock.

È l'una (ora). [에 루나 오라]

1시입니다.

 *1시에서 2시 사이는 단수 취급하여 'è + 정관사 la + una (+ e + 분)' 의 형태를 취합니다. una가 모음으로 시작하므로 1'로 정관사가 축약되었습니다.

*1시를 제외한 나머지 시간은 sono를 씁니다. 시간을 답할 때는 'Sono + 정관사 le + 시간 (+ e +분)'으로 하시면 됩니다.

It is five past four. (4:05)

Sono le quattro e cinque.

[소노 레 콰뜨로 에 친꿰]

4시 5분입니다. (4 그리고 5)

It is a quarter past four. (4:15)

Sono le quattro e un quarto.

[소노 레 콰뜨로 에 운 콰르또]

4시 15분입니다. (4 그리고 15)

* 15분은 1/4의 quattro를 써서 표현하거나, 숫자 15 quindici를 이용하여 말할 수 있습니다.

It is a half past four. (4:30)

Sono le quattro e mezza.

[소노 레 콰뜨로 에 메짜]

4시 30분입니다. (4 그리고 반)

*30분은 30이란 뜻의 trenta를 쓰거나, 반이란 뜻의 mezza를
이용해서 표현합니다.

It is a quarter to five. (4:45)

Sono le cinque meno un quarto.

[소노 레 친퀘 메노 운 콰르또]

 4시 45분입니다. (5 빼기 15)

*빼기 meno라는 표현을 이용해 '~분 전'을 표현합니다. 본문
에서는 5시에서 1/4를 뺀다고 표현하였습니다.

   물론 4시 45분이라고 'Sono le quattro e quarantacinque.' 로
말하는 것도 가능합니다.

It is ten to five. (4:50)

Sono le cinque meno dieci.

[소노 레 친퀘 메노 디에치]

4시 50분입니다. (5 빼기 10)

문법 맛보기

이탈리아어의 정관사와 부정관사는 명사가 남성인지 여성인지, 단수인지 복수인지에 따라 달라집니다. 정관사 남녀 단수모두 모음으로 시작하는 단어 앞에서는 축약하여 l'로 써줍니다.

여성 단수 부정관사의 경우 모음 앞에서는 un'로 축약됩니다. 또한 부정관사의 복수형의 경우 복수부분관사라 하여 '몇 몇의', '몇 개의'란 뜻을 가지고 있습니다.

종류	단수형	복수형
정관사	남성: il, lo*	남성: i, gli*
	여성: la	여성: le
부정관사	남성: un, uno*	남성: dei, degli*
	여성: una/un'	여성: delle

*남성 관사의 경우, s+자음, pn, gn, ps, x, y, z 등으로 시작하는 단어 앞에서는 lo, uno, gli, degli 등으로 바뀝니다.

< 숫자 >

	기수	서수
1	uno	primo
2	due	secondo
3	tre	terzo
4	quattro	quarto
5	cinque	quinto
6	sei	sesto
7	sette	settimo
8	otto	ottavo
9	nove	nono
10	dieci	decimo
11	undici	undicesimo
12	dodici	dodicesimo
13	tredici	tredicesimo
14	quattordici	quattordicesimo
15	quindici	quindicesimo
16	sedici	sedicesimo
17	diciassette	diciassettesimo
18	diciotto	diciottesimo
19	diciannove	diciannovesimo
20	venti	ventesimo
21	ventuno	ventunesimo
…	…	
10	dieci	decimo
20	venti	ventesimo
30	trenta	trentesimo
40	quaranta	quarantesimo
50	cinquanta	cinquantesimo

60	sessanta	sessantesimo
70	settanta	settantesimo
80	ottanta	ottantesimo
90	novanta	novantesimo
100	cento	centesimo
1000	mille	millesimo

< 월 >

1 월	**gennaio**	January
2 월	**febbraio**	February
3 월	**marzo**	March
4 월	**aprile**	April
5 월	**maggio**	May
6 월	**giugno**	June
7 월	**luglio**	July
8 월	**agosto**	August
9 월	**settembre**	September
10 월	**ottobre**	October
11 월	**novembre**	November
12 월	**dicembre**	December

< 요일 >

월요일	**lunedì**	Monday
화요일	**martedì**	Tuesday
수요일	**mercoledì**	Wednesday
목요일	**giovedì**	Thursday
금요일	**venerdì**	Friday
토요일	**sabato**	Saturday
일요일	**domenica**	Sunday

< 날, 시간 관련 >

그저께		**l'altro ieri**	the day before yesterday
어제	il	**ieri**	yesterday
오늘		**oggi**	today
내일	il	**domani**	tomorrow
모레	il	**dopodomani**	the day after tomorrow
평일	i	**giorni feriali**	weekday
주말	il	**fine settimana**	weekend
날	il	**giorno**	day
주	la	**settimana**	week
달	il	**mese**	month
년	l'	**anno**	year
초	il	**secondo**	second
분	il	**minuto**	minute
시간	l'	**ora**	time

08

출 신

Where are you from?

Di dove sei? [디 도베 세이]

어디 출신이세요?

I am from Korea.

Vengo dalla Corea del Sud.

[벵고 달라 코레아델수드]

한국에서 왔습니다.

What brings you here?

Cosa ti porta qui? [코사 티 포르타 퀴]

어떻게 여기에 오게 되셨나요?

I study / work here.

Studio / Lavoro qui.

[스투디오 / 라보로 퀴]

저 여기서 공부 / 일해요.

I am Korean.

Sono coreano/a.

[소노 코레아노/코레아나]

저는 한국 사람입니다.

I am originally from Busan.

Sono originario/a di Busan.

[소노 오리지나리오/오리지나리아 디 부산]

제 출신지는 부산입니다.

Which city do you live in?

In quale città vivi?   [인 콸레 치타 비비]

어느 도시에서 사세요?

I live in Seoul.

Vivo a Seoul.   [비보 아 쇠울]

서울에서 살아요.

문법 맛보기

이탈리아어에서는 명사에 성별이 있습니다. 남성 명사는 일반적으로 -o로 끝나고, 여성 명사는 –a로 보통 끝납니다. –e로 끝나는 명사는 남성, 여성 모두 있기 때문에 암기가 필요합니다.

본문에서 한국사람임을 말할 때 내가 남자일 때는 coreano, 여자일 때는 coreana가 되는 것도 이 이유 입니다. 형용사도 명사의 성과 수에 따라 일치해야 하므로 출신지를 답할 때 화자가 남성이면 originario를, 여성이면 originaria를 써야 합니다.

복수형의 경우, 보통 남성 명사들은 끝을 -i로 바꾸고, 여성은 –a를 -e로 바꿉니다. –e로 끝나는 명사는 –i로 바꿔줍니다. 악센트로 끝나거나 자음으로 끝나는 명사는 단수 동일합니다.

< 국명 >

스웨덴	la	**Svezia**	Sweden
핀란드	la	**Finlandia**	Finland
덴마크	la	**Danimarca**	Denmark
노르웨이	la	**Norvegia**	Norway
미국	gli	**Stati Uniti**	America
영국	il	**Regno Unito**	England
독일	la	**Germania**	Germany
프랑스	la	**Francia**	France
스페인	la	**Spagna**	Spain
이탈리아	l'	**Italia**	Italy
한국	la	**Corea del Sud**	Korea
일본	il	**Giappone**	Japan
중국	la	**Cina**	China
네덜란드	i	**Paesi Bassi**	Holland
멕시코	il	**Messico**	Mexico

09

언 어

Do you speak …?

Parli …? [파를리...]

~어를 하시나요?

I speak a little...

Parlo poco... [팔로 포코...]

~어를 조금 합니다.

I do not speak....

Non parlo.... [논 팔로...]

~어를 못합니다.

Does anyone here speak ...

Qualcuno qui parla...?

[콸쿠노 퀴 팔라...]

~를 하시는 분 계시나요?

How do you say that in Italian?

Come si dice questo in italiano?

[꼬메 시 디체 쿠에스토 인 이탈리아노]

그것은 이탈리아어로 어떻게 말해요?

How do you say … in English?

Come si dice .... in inglese?

[꼬메 시 디체 .... 인 잉글레세]

~은 영어로 어떻게 말해요?

How do you pronounce that?

Come si pronuncia questo?

[꼬메 시 프로눈치아 쿠에스토]

이것은 어떻게 발음해요?

What does this mean?

Cosa significa questo?

[코사 시그니피카 쿠에스토]

이것은 무슨 뜻이죠?

Do you understand me?

Mi capisci?

[미 카피시]

제 말을 이해 하셨나요?

I do not understand.

Non capisco.　[논 카피스코]

이해하지 못했어요.

I understand that.

Capisco.　[카피스코]

이해는 합니다.

Could you speak a little slower?

Potresti parlare più lentamente?

[포트레스티 팔라레 퓨 렌타멘테]

천천히 말해 줄 수 있나요?

Could you say that again?

Potresti ripetere? [포트레스티 리페테레]

다시 말해 주실 수 있으세요?

Could you write it down?

Potresti scriverlo? [포트레스티 스크리베를로]

써주실 수 있으세요?

Could you spell that for me?

Può farmi lo spelling?

[푸오 파르미 로 스펠링]

철자를 알려주실 수 있으세요?

문법 맛보기

영어의 this, that 등에 해당하는 지시 대명사와 지시 형용사가 다음과 같습니다.

자사대명사	단수 남성	단수 여성	복수 남성	복수 여성
이것 (This)	Questo	Questa	Questi	Queste
저것 (That)	Quello	Quella	Quelli	Quelle

지시형용사	단수 남성	단수 여성	복수 남성	복수 여성
이	Questo	Questa	Questi	Queste
저	Quel/Quello*	Quella	Quei/Quegli*	Quelle

* s+자음, z, gn, ps, x, pn으로 시작하는 남성 단수 명사 앞에서는 quello, 복수 명사 앞에서 quegli가 사용됩니다. (모음으로 시작하는 남녀 단수 명사는 quell')

< 언어 >

스웨덴어	il	**svedese**	Swedish
핀란드어	il	**finlandese**	Finnish
덴마크어	il	**danese**	Danish
노르웨이어	il	**norvegese**	Norwegian
영어	l'	**inglese**	English
독일어	il	**tedesco**	German
프랑스어	il	**francese**	French
스페인어	lo	**spagnolo**	Spanish
이탈리아어	l'	**italiano**	Italian
한국어	il	**coreano**	Korean
일본어	il	**giapponese**	Japanese
중국어	il	**cinese**	Chinese
네덜란드어	l'	**olandese**	Dutch

10

의 견

What do you think?

Cosa ne pensi? [코사 네 펜시]

뭐라고 생각하세요?

What's going on?

Cosa sta succedendo? [코사 스타 술처덴도]

무슨 일이죠?

I think that…

Penso che...

[펜소 케...]

~라고 생각합니다.

What do you prefer?

Cosa preferisci?

[코사 프레페리시]

뭐가 좋으세요?

I like it.

Mi piace. [미 피아체]

그거 마음에 들어요.

I do not like it.

Non mi piace.

[논 미 피아체]

그거 마음에 안 들어요.

I like / hate to do that.

Mi piace/odio fare quello.

[미 피아체/오디오 파레 퀘로]

그것을 하기 좋아합니다. /싫어합니다.

I am happy.

Sono felice.

[소노 펠리체]

기쁩니다.

I am not happy.

Non sono felice.

[논 소노 펠리체]

기쁘지 않습니다.

I am not in a good mood.

Non sono di buon umore.

[논 소노 디 부온 우모레]

기분이 좋지 않습니다.

I am interested in…

Sono interessato/a a...

[소노 인테레싸토/인테레싸타 아...]

~에 흥미가 있습니다.

I am not interested.

Non sono interessato/a.

[논 소노 인테레싸토/인테레싸타]

흥미 없습니다.

I am bored.

Mi annoio.

[미 안노이오]

지루합니다.

It does not matter.

Non fa niente.

[논 파 니엔테]

상관없어요.

Really?

Davvero?

[다브베로]

정말로요?

I've had enough.

Ne ho abbastanza.

[네 오 아바스탄차]

이제 충분합니다. 질리네요.

Not bad!

Non male!

[논 말레]

나쁘지 않네요.

Great! / Wonderful!

Fantastico! / Meraviglioso!

[판타스티코] / [메라비요소]

좋아요. / 멋져요.

What a pity!

Che peccato!   [케 페카토]

안타깝네요.

문법 맛보기

이탈리아어의 목적격 인칭 대명사는 동사 앞에 사용되는 약세형과 동사 뒤에 사용되는 강세형이 있습니다. 격식 Lei 의 경우 여성형과 같은 변화입니다.

	직접목적격 약/강세형		간접목적격 약/강세형
나를	mi/me	나에게	mi/a me
너를	ti/te	너에게	ti/a te
그를	lo/lui	그에게	gli/a lui
그녀를	la/lei	그녀에게	le/a lei
우리를	ci/noi	우리에게	ci/a noi
너희를	vi/voi	너희에게	vi/a voi
그들을	le/loro	그들에게	gli/a loro

또한 '그것(들)을'이라 하려면 성, 수에 따라 lo(남성 단수), la(여성 단수), li(남성 복수), le(여성 복수)를 동사 앞에 써줍니다. 단수의 경우 모음 앞에서는 정관사처럼 l'로 축약됩니다.

11

전 화

Is this...?

Pronto, è il....? [프론토 에 일...]

~이신가요?

This is ...

Sono... [소노...]

~입니다.

Can I speak to...?

Posso parlare con....?

[포쏘 파르라레 콘...]

~랑 통화할 수 있나요?

I'd like to speak to..

Vorrei parlare con...

[보레이 파르라레 콘...]

~랑 통화하고 싶습니다.

Who is calling?

Chi sta chiamando?

[키 스타 키아만도]

누구시죠?

You have the wrong number.

Hai sbagliato numero.

[아이 스발리아토 누메로]

잘못된 번호로 거셨습니다.

The line is busy.

La linea è occupata.

[라 리네아 에 오크파타]

통화 중입니다.

He is not here right now.

Lui non è qui ora.

[루이 논 에 키 오라]

그는 지금 자리에 없습니다.

Can you let her know I called?

Potresti farle sapere che ho chiamato?

[포트레스티 파를레 사페레 케 오 키아마토]

제가 전화했다고 전해 주시겠습니까?

Please let her know I called.

Per favore, fatelo sapere a lei che ho chiamato.

[페르 파보레, 파텔로 사페레 아 레이 케 오 키아마토]

그녀에게 제가 전화했다고 전해주세요.

Can you ask him to call me back?

Potresti chiedergli di richiamarmi.

[포트레스티 키에데리 디 리키아마르미]

다시 전화해 달라고 말씀해 주시겠습니까?

I will call again later.

Richiamerò più tardi.

[리키아메로 플루 타르디]

나중에 다시 전화하겠습니다.

Can I leave a message?

Posso lasciare un messaggio?

[포쏘 라샤레 운 메사조]

메시지를 남길 수 있을까요?

What's your phone number?

Qual è il tuo numero di telefono?

[콸 에 일 투오 누메로 디 텔레포노]

전화번호가 어떻게 되세요?

My phone number is….

Il mio numero di telefono è….

[일 미오 누메로 디 텔레포노 에..]

제 전화번호는~ 입니다.

< 전자 기기 관련 단어 >

컴퓨터	il	**computer**	computer
랩탑	il	**laptop**	laptop
인터넷	l'	**internet**	Internet
이메일	l'	**email**	e-mail
웹 사이트	il	**sito web**	website
프린터	la	**stampante**	printer
카메라	la	**fotocamera**	camera
메모리카드	la	**scheda di memoria**	memory card
배터리	la	**batteria**	battery
전기	l'	**elettricità**	electricity
전화	il	**telefono**	phone
스마트폰	lo	**smartphone**	smart phone
심카드	la	**scheda SIM**	SIM card
문자 메시지	il	**messaggio di testo**	text message
콘센트	la	**presa elettrica**	socket
충전기	il	**caricabatterie**	charger
태블릿 pc	il	**tablet PC**	tablet pc
헤드폰	le	**cuffie**	headphones

12 우편, 환전

Where is the ATM?

Dove si trova il bancomat?

[도베 시 트로바 일 반코마트]

ATM 기는 어디에 있나요?

Where is the nearest money exchange
office?

Dove si trova l'ufficio di cambio più vicino?

[도베 시 트로바 루피치오 디 캄비오 피우
비치노]

여기 주변에 환전소는 어디죠?

I would like to exchange some money.

Vorrei cambiare un po' di soldi.

[보레이 칸비아레 운 포 디 솔디]

돈을 환전하고 싶습니다.

What is the current exchange rate?

Qual è il tasso di cambio attuale?

[콸 에 일 타쏘 디 캄비오 악투알레]

현재 환율이 어떻게 되죠?

What is the exchange between Dollar and Euro?

Qual è il tasso di cambio tra Dollaro e Euro?

[콸 에 일 타쏘 디 캄비오 트라 돌라로 에 에우로]

달러와 유로의 환율이 어떻게 되죠?

How much is the commission fee?

Quanto è la commissione?

[콴토 에 라 코미쏘네]

수수료가 얼마죠?

I want to send this package by airmail.

Voglio inviare questo pacco per posta aerea. [볼리오 인비아레 퀘스토 파코 페르 포스타 아에레아]

이 소포를 항공 우편으로 보내고 싶습니다.

I'd like to send this to America.

Vorrei inviare questo in America.

[보레이 인비아레 퀘스토 인 아메리카]

이것을 미국으로 보내고 싶습니다.

How much does it cost to send this letter to Korea?

Quanto costa inviare questa lettera in Corea? [콴토 코스타 인비아레 퀘스타 레터라 인 코레아]

한국으로 이 편지 보내는데 얼마죠?

Can I get 6 stamps?

Posso avere 6 francobolli?

[포쏘 아베레 세이 프란코볼리]

우표 6 장 주실 수 있나요?

Have I put enough stamps on this?

Ho messo abbastanza francobolli su questo?

[오 메쏘 아바스탄차 프란코볼리 수 퀘스토]

우표가 여기 충분한가요?

< 금융 관련 단어 >

은행	la	**banca**	bank
ATM	il	**bancomat**	ATM
계좌	il	**conto**	account
비밀 번호	il	**codice segreto**	password
달러	il	**dollaro**	dollar
유로	l'	**euro**	Euro
돈	il	**denaro**	money
현금	il	**contante**	cash
동전	la	**moneta**	coin
여행자 수표	il	**assegno viaggiatore**	traveler's checks
예금	il	**deposito**	deposit
이자	l'	**interesse**	interest
카드	la	**carta**	credit card
환율	il	**tasso di cambio**	exchange rate
환전	il	**cambio valuta**	currency exchange

< 우편 관련 단어 >

국내우편	la	**posta nazionale**	domestic mail
국제우편	la	**posta internazionale**	international mail
항공우편	la	**posta aerea**	air mail
수신인	il	**destinatario**	recipient
발신인	il	**mittente**	sender
소포	il	**pacco**	package
우체국	l'	**ufficio postale**	post office
우편 번호	il	**codice postale**	ZIP code
우편 요금	la	**tariffa postale**	postage
우편함	la	**cassetta delle lettere**	mailbox
우표	il	**francobollo**	stamp
주소	l'	**indirizzo**	address
엽서	la	**cartolina postale**	postcard
배송조회번호	il	**numero di tracciamento della spedizione**	tracking number

13

날씨

What's the weather like today?

Che tempo fa oggi?　[케 템포 파 오지]

오늘 날씨 어때요?

What's the temperature today?

Qual è la temperatura oggi?

[콰렐 에 라 템퍼라투라 오지]

오늘 몇 도 정도 될까요?

It's nice weather.

Fa bel tempo. [파 벨 템포]

날씨가 좋네요.

It's cold today.

Fa freddo oggi. [파 프레도 오지]

오늘 추워요.

It's cool today.

Fa fresco oggi. [파 프레스코 오지]

오늘 시원해요.

It's hot today.

Fa caldo oggi. [파 칼도 오지]

오늘 더워요.

It's humid /dry.

È umido / secco.

[에 우미도 / 세코]

습합니다. / 건조합니다.

Will there be bad weather?

Ci sarà cattivo tempo?

[치 시라 카티보 템포]

날씨가 안 좋아 질까요?

Will the weather remain like this?

Il tempo rimarrà così?

[일 템포 리마라 코시]

날씨가 죽 이럴까요?

Is it going to rain?

Sta per piovere? [스타 페르 피오베레]

비가 올까요?

It's raining.

Sta piovendo. [스타 피오벤도]

비가 오고 있습니다.

It's snowing.

Sta nevicando. [스타 네비칸도]

눈이 내리고 있습니다.

It's stormy.

C'è una tempesta. [체 우나 템페스타]

폭풍우가 몰아치고 있습니다.

It's sunny. / It's cloudy.

È soleggiato. [에 솔레쟈토] /

È nuvoloso. [에 누볼로쏘]

해가 납니다. / 날씨가 흐립니다.

It's foggy.

C'è la nebbia. [체 라 네빌리아]

안개가 꼈습니다.

It's windy. / It's icy.

C'è vento.   [체 벤토] /

È ghiacciato.   [에 기아챠미토]

바람이 붑니다. / 얼음이 얼었습니다.

문법 맛보기

이탈리아어의 소유대명사, 소유형용사는 명사의 성수에 따라 변하며 보통 정관사와 같이 쓰입니다. Essere동사 뒤에서는 정관사가 생략되기도 합니다. 소유형용사는 보통 명사와 앞에서 위치하며 '~의' (영어의 of)라는 뜻의 전치사는 di입니다.

소유자	남성 단수	여성 단수	남성 복수	여성 복수
나의	il mio	la mia	i miei	le mie
너의	il tuo	la tua	i tuoi	le tue
그/그녀/당신의	il suo	la sua	i suoi	le sue
우리의	il nostro	la nostra	i nostri	le nostre
너희의	il vostro	la vostra	i vostri	le vostre
그들의	il loro	la loro	i loro	le loro

Questo libro è (il) mio. (이 책은 나의 것이다.) /

Questo è il mio libro. (이것은 나의 책이다.)

예외: loro 제외한 가족 명사와는 소유형용사 앞 무관사

mio padre (내 아버지), il loro padre (그들의 아버지)

< 날씨 관련 단어 >

구름	la	**nuvola**	cloud
해	il	**sole**	sun
기후	il	**clima**	climate
날씨	il	**tempo**	weather
눈	la	**neve**	snow
눈보라	la	**tempesta di neve**	snowstorm
무지개	l'	**arcobaleno**	rainbow
바람	il	**vento**	wind
비	la	**pioggia**	rain
서리	la	**brina**	frost
안개	la	**nebbia**	fog
기온	la	**temperatura**	temperature
온도	il	**grado**	degree
습도	l'	**umidità**	humidity
일기 예보	le	**previsioni del tempo**	weather forecast
진눈깨비	il	**nevischio**	sleet
천둥	il	**tuono**	thunder
번개	il	**fùlmine**	lightning
폭풍	la	**tempesta**	storm
허리케인	l'	**uragano**	hurricane
홍수	l'	**alluvione**	flood

< 계절 >

봄	la	**primavera**	spring
여름	l'	**estate**	summer
가을	l'	**autunno**	autumn
겨울	l'	**inverno**	winter

14

교 통

Do you know where … is?

Sai dov'è …?

[사이 도베...]

~가 어디에 있는지 아시나요?

I'm lost.

Sono perso/a.   [소노 페르소/페르사]

길을 잃었어요.

Where is the nearest ….?

Dov'è il/la … più vicino/a?

[도베 일 피우...비치노 / 라 피우...비치나]

가장 가까운 ~가 어디 있나요?

How can I get to ... ?

Come posso arrivare a...?

[코메 포쏘 아리바레 아...]

어떻게 ~에 가나요?

How can I get there by foot?

Come posso arrivarci a piedi?

[코메 포쏘 아리바리치 아 피에디]

거기는 걸어서 어떻게 가죠?

Is it walking distance?

Si può raggiungere a piedi?

[시 포 라진제레 아 피에디]

걸을 만한가요?

How far is it to the next tram stop?

Quanto dista la prossima fermata del tram?

[콴토 디스타 라 프로시마 페르마타 델 트람]

다음 트램 정류장까지 얼마나 멀죠?

What time does the next bus depart?

A che ora parte il prossimo autobus?

[아 케 오라 파르테 일 프로시모 아우토부스]

다음 버스는 몇 시에 출발해요?

Where does this bus go?

Dove va questo autobus?

[도베 바 케스토 아우토부스]

이 버스는 어디로 가죠?

When will we arrive at ...?

Quando arriveremo a...?

[꽌도 알리베레모 아...]

언제 ~에 도착하나요?

Does this bus/ train stop at ...?

Questo autobus/ treno ferma a...?

[퀘스토 아우토부스/트레노 페르마 아...]

이 버스 / 기차 ~에 멈추나요?

Where do I have to get off?

Dove devo scendere?

[도베 데보 셴더레]

어디서 내려야 해요?

Do I have to transfer?

Devo fare il trasferimento?

[데보 파레 일 트란스페리멘토]

갈아타야 하나요?

Could you tell me where I have to get off?

Mi può dire dove devo scendere?

[미 푸오 디레 도베 데보 셴더레]

어디서 내려야하는지 알려주실 수 있으세요?

Where can I buy a ticket?

Dove posso comprare un biglietto?

[도베 포소 콤프라레 운 빌리에토]

어디서 표를 살 수 있나요?

How much does one way / round-trip ticket cost?

Quanto costa un biglietto solo andata / andata e ritorno?

[꽌토 코스타 운 빌리에토 솔로 안다타 / 안다타 에 리토르노]

편도/왕복 표 얼마예요?

Do I have to book a seat?

Devo prenotare un posto?

[데보 프레노타레 운 포스토]

자리를 예매해야 하나요?

Do you have a timetable?

Avete un orario? [아베테 운 오라리오]

시간표 있으세요?

Could you call a taxi?

Potresti chiamare un taxi?

[포트레스티 키아마레 운 탁시]

택시 좀 불러줄 수 있나요?

How much does it cost to go ...?

Quanto costa andare a...?

[꽌토 코스타 안다레 아...]

~까지 가는데 얼마입니까?

Take me to this address.

Portami a questo indirizzo.

[포르타미 아 퀘스토 인디리쏘]

이 주소로 가주세요.

How long will it take?

Quanto tempo ci vorrà? [꽌토 템포 치 볼라]

가는데 얼마나 시간이 걸립니까?

Hurry up please!

Sbrigati per favore! [스브리가티 페르 파보레]

서둘러 주세요.

문법 맛보기

이탈리아어 규칙변화 동사는 보통 –are, -ere, -ire로 끝나며 -ire 는 2가지 형태로 변화합니다. ire 동사가 어느 쪽 변화를 취하는 지는 동사마다 다르므로 사전을 찾아봐야 합니다.

인칭	-are 동사	-ere 동사	-ire 동사	
Io	-o	-o	-o	-isco
Tu	-i	-i	-i	-isci
Lui/Lei	-a	-e	-e	-isce
Noi	-iamo	-iamo	-iamo	-iamo
Voi	-ate	-ete	-ite	-ite
Loro	-ano	-ono	-ono	-iscono

<교통 관련 단어>

교통	il	**traffico**	traffic
교통 신호	il	**semaforo**	traffic light
횡단 보도	l'	**attraversamento pedonale**	crosswalk
다리	il	**ponte**	bridge
도로	la	**strada**	road
택시	il	**taxi**	taxi
트램	il	**tram**	tram
버스	l'	**autobus**	bus
버스 정류장	la	**fermata dell'autobus**	bus stop
보도	il	**marciapiede**	sidewalk
버스 운전사	l'	**autista dell'autobus**	bus driver
승객	il	**passeggero**	passenger
안전 벨트	la	**cintura di sicurezza**	seat belt
자동차	l'	**automobile**	car
자전거	la	**bicicletta**	bicycle
정류장	la	**fermata**	station
지하철	la	**metropolitana**	subway
기차	il	**treno**	train
기차역	la	**stazione ferroviaria**	train station

시간표	l'	**orario**	timetable
왕복표	il	**biglietto di andata e ritorno**	round-trip ticket
편도표	il	**biglietto di sola andata**	oneway ticket

< 방위 >

동쪽	l'	**est**	east
서쪽	l'	**ovest**	west
남쪽	il	**sud**	south
북쪽	il	**nord**	north

15 관광

Where is the tourist office?

Dove si trova l'ufficio turistico?

[도베 시 트로바 루피치오 투리스티코]

안내 센터는 어디죠?

Any good place to visit?

Qualche bel posto da visitare?

[콸케 벨 포스토 다 비지타레]

가볼 만한 곳이 어디인가요?

Do you have a city map?

Avete una mappa della città?

[아베테 우나 마파 델라 치타]

시내 지도 있어요?

Can you mark it on the map?

Puoi segnarlo sulla mappa?

[푸오이 세뇨로 스우라 래 마파]

지도에 표시해 줄 수 있으세요?

Could you take a photo of us?

Potresti scattarci una foto?

[포트레스티 스카따르치 우나 포토]

저희 사진 좀 찍어 주시겠어요?

Can I take photos?

Posso fare foto?   [포쏘 파레 포토]

사진 찍어도 되나요?

When is here open / closed?

Quando è aperto / chiuso qui?

[꽌토 에 아페르토 / 치우소 뀌]

여기는 언제 열어요? / 닫아요?

Do you have a group discount?

Avete uno sconto per gruppi?

[아베테 우노 소콘토 페르 그루피]

단체 할인이 있나요?

Do you have a student discount?

Avete uno sconto per studenti?

[아베테 우노 소콘토 페르 스튜덴티]

학생 할인 있나요?

Where can I do ...?

Dove posso fare ...?

[도베 포쏘 파레...]

어디서 ~를 할 수 있죠?

Is there ... nearby?

C'è ... qui vicino?

[체 ... 뀌 비치노]

주변에 ~가 있나요?

Are there guided tours?

Ci sono visite guidate?

[치 소노 비지테 구이다테]

가이드 투어가 있나요?

How long does it take?

Quanto tempo ci vuole?

[꽌토 템포 치 부오레]

얼마나 걸려요?

Do we have free time?

Abbiamo tempo libero?

[아비아모 템포 리베로]

자유 시간 있어요?

How much free time do we have?

Quanto tempo libero abbiamo?

[꽌토 템포 리베로 아비아모]

자유 시간 얼마나 있어요?

< 장소 관련 단어 >

교회	la	**chiesa**	church
PC방	l'	**internet cafè**	Internet cafe
경찰서	la	**stazione di polizia**	police station
공원	il	**parco**	park
궁전	il	**palazzo**	palace
극장	il	**teatro**	theater
대학	l'	**università**	university
도서관	la	**biblioteca**	library
동물원	lo	**zoo**	zoo
레스토랑	il	**ristorante**	restaurant
미용실	il	**salone di bellezza**	beauty salon
바	il	**bar**	bar
박물관	il	**museo**	museum
백화점	il	**grande magazzino**	department store
병원	l'	**ospedale**	hospital
빵집	la	**panetteria**	bakery
서점	la	**libreria**	bookstore
성	il	**castello**	castle
성당	la	**cattedrale**	cathedral
소방서	la	**caserma dei pompieri**	fire station

수영장	la	**piscina**	swimming pool
슈퍼마켓	il	**supermercato**	supermarket
시청	il	**municipio**	town hall
신발가게	il	**negozio di scarpe**	shoe store
약국	la	**farmacia**	pharmacy
영화관	il	**cinema**	cinema
옷가게	il	**negozio di abbigliamento**	clothing store
유원지	il	**parco di divertimenti**	amusement park
정육점	la	**macelleria**	slaughter house
키오스크	l'	**edicola**	kiosk
학교	la	**scuola**	school
항구	il	**porto**	port

<관광 관련 단어>

가이드북	la	**guida turistica**	guidebook
관광	il	**turismo**	tourism
관광 안내소	l'	**ufficio turistico**	tourist office
관광객	il	**turista**	tourist
기념품점	il	**negozio di souvenir**	gift shop
매표소	la	**biglietteria**	ticket office
분실물 사무소	l'	**ufficio oggetti smarriti**	lost and found
사진	la	**fotografia**	photo
신혼 여행	il	**viaggio di nozze**	honeymoon
안내 책자	l'	**opuscolo informativo**	brochure
여행	il	**viaggio**	trip
예약	la	**prenotazione**	reservation
일정표	l'	**itinerario**	itinerary
입장권	il	**biglietto d'ingresso**	entrance ticket
입장료	il	**prezzo d'ingresso**	entrance fee
자유 시간	il	**tempo libero**	free time
지도	la	**mappa**	map
차례, 줄	la	**fila**	queue
출장	il	**viaggio di lavoro**	business trip

공 항

16-1) 출국 시

Where is your destination?
Qual è la tua destinazione?

[콸 에 라 투아 데스티나치오네]

어디로 가십니까?

Show me your passport, please.
Mostrami il tuo passaporto, per favore.

[모스트라미 일 투오 패사포르토, 페 파보레]

여권 보여주세요.

I want to confirm / cancel / change
my reservation.

**Voglio confermare / annullare / cambiare
la mia prenotazione.**
[보리오 콘페르마레 / 안눌라레 / 캄비아레
라 미아 프레노타시오네]

예약을 확인/취소/변경하고 싶어요.

I booked online.

Ho prenotato online. [오프레노타토 온라인]

인터넷으로 예약했어요.

I want a window / aisle seat.

**Voglio un posto vicino alla finestra /
corridoio.** [볼리오 운 포스토 비치노 알라
피네스트라 / 코리도이오]

창가 쪽/복도 쪽 좌석 주세요.

How many suitcases are allowed?

Quante valigie sono ammesse?

[콘테 밸리지 소노 아메쎠]

수화물 몇 개까지 허용돼요?

Which gate should I go to?

A quale gate devo andare?

[아 콰레 게이테 데보 안다레]

몇 번 게이트인가요?

Until what time can I check-in?

Fino a che ora posso fare il check-in?

[피노 아 케 오라 포소 파레 일 체키인]

몇 시까지 체크인해야 하나요?

The departure is delayed.

La partenza è in ritardo.

[라 파르텐차 에 인 리타르도]

출발이 지연되었습니다.

The flight was canceled.

Il volo è stato cancellato.

[일 보로 에 스타토 칸첼라토]

비행기가 취소되었습니다.

Fasten your seatbelt!

Allacci la cintura di sicurezza!

[알라치 라 친투라 디 시쿠레사]

안전벨트를 착용해 주십시오.

Return to your seat!

Ritorna al tuo posto.

[리토르나 알 투오 포스토]

자리로 돌아가 주십시오.

I want something to drink.

Vorrei qualcosa da bere.

[보레이 콸코사 다 베레]

마실 것 좀 주세요.

Is this seat taken?

Questo posto è occupato?

[퀘스토 포스토 에 오크파토]

이 자리 사람 있나요?

Turn off your cellphone!

Spegni il cellulare! [스펭니 일 첼루라레]

휴대전화를 꺼주세요.

16-2) 입국 시

What is the purpose of your visit?

Qual è lo scopo della tua visita?

[콸 에 로 스코포 델라 투아 비시타]

여행 목적은 무엇입니까?

I am on a business trip.

Sono in viaggio d'affari.

[소노 인 비아죠 다 아페리]

출장 중입니다.

I'm here on vacation.

Sono qui in vacanza.

[소노 퀴 인 바칸차]

여기 휴가로 왔어요.

I'm here with a tourist group.

Sono qui con un gruppo di turisti.

[소노 퀴 콘 운 그룹포 디 투리스티]

단체 여행으로 왔습니다.

I'm visiting my family.

Sto visitando la mia famiglia.

[스토 비지탄도 라 미아 파미리아]

가족을 만나러 왔습니다.

Where will you be staying?

Dove alloggerai?

[도베 알로제라이]

어디에서 지내실 겁니까?

How long are you going to be here?

Per quanto tempo rimarrai qui?

[페르 콴토 템포 리마라이 퀴]

얼마 동안 머물 예정입니까?

A couple of days.

(Sarò qui) per un paio di giorni.

[사로 키 페르 운 파이오 디 조르니]

며칠간만요.

I am here for three weeks.

Sono qui per tre settimane.

[소노 퀴 페르 트레 세타마네]

3주 동안 있을 겁니다.

Do you have anything to declare?

Ha qualcosa da dichiarare?

[아 콸코사 다 디키아라레]

신고할 것 있으십니까?

I have nothing to declare.

Non ho nulla da dichiarare.

[논오 아 눌라 다 디키아라레]

신고할 것 없습니다.

Where can I get my luggage?

Dove posso prendere i miei bagagli?

[도베 포쏘 프렌데레 이 미에 바가리]

어디서 가방을 찾나요?

My luggage has disappeared.

I miei bagagli sono scomparsi.

[이 미에 바가리 소노 스콤파씨]

제 가방이 없어졌습니다.

I can't find my luggage.

Non trovo i miei bagagli.

[논 트로보 이 미에 바가리]

제 가방을 찾을 수가 없어요.

How can I get to downtown from the airport?

Come posso arrivare in centro dall'aeroporto?

[코메 포쏘 아리바레 인첸트로 달레로포르토]

공항에서 시내에 가려면 어떻게 해야 하나요?

Is there a bus that goes to the city hall?

C'è un autobus che va al municipio?

[체 운 아우토부스 케 바 알 무니치피오]

시청까지 가는 버스가 있나요?

Is there a train that departs from the airport?

C'è un treno che parte dall'aeroporto?

[체 운 트레노 케 파르테 달레로포르토]

공항에서 출발하는 기차가 있나요?

<공항 관련 단어>

공항	l'	**aeroporto**	airport
국내선	il	**volo nazionale**	domestic flight
국적	la	**nazionalità**	nationality
국제선	il	**volo internazionale**	international flight
기내 수하물	il	**bagaglio a mano**	carry-on luggage
면세점	il	**negozio duty-free**	duty free shop
비행기	l'	**aereo**	airplane
비행기 표	il	**biglietto aereo**	plane ticket
사증, 비자	il	**visto**	visa
세관	la	**dogana**	customs
세금	la	**tassa**	tax
스탑 오버	lo	**scalo**	stopover
여권	il	**passaporto**	passport
외국	il	**paese straniero**	foreign country
위탁 수하물	il	**bagaglio registrato**	checked in baggage
항공사	la	**compagnia aerea**	airline
항공편	il	**volo**	flight
항공편 번호	il	**numero di volo**	flight number

17

쇼 핑

Where can I buy …?

Dove posso comprare...?

[도베 포쏘 콤프라레...]

어느 곳에서 ~ 살 수 있죠?

When do you open?

Quando aprite?　　　[꽌도 아프리테]

이 가게는 언제 열어요?

How can I help you?

Come posso aiutarla? [꼬메 포쏘 아우타라]

무엇을 도와드릴까요?

114

No thank you, I'm just looking around.

No, grazie, stavo solo dando un occhiata.

[노, 그라치에, 스타보 솔로 단도 운오치아타]

괜찮아요, 그냥 보는 거예요.

I am looking for...

Sto cercando...

[스토 체르칸도...]

~ 찾고 있는데요.

Do you sell...?

Vendete...?

[벤데테.....]

~ 파나요?

Can I try it on?

Posso provarlo?

[포쏘 프로발로]

입어 봐도 되나요?

Do you have bigger / smaller size?

Avete una taglia più grande / più piccola?

[아베테 우나 탈리아 피우 그란데 / 피우 피 꼴라]

큰/작은 사이즈는 없나요?

Don't you have anything cheaper?

Non avete niente di più economico?

[논 아베테 니엔테 디 피우 에꼬노미코]

싼 것은 없나요?

How much does this cost?

Quanto costa questo?

[꽌토 코스타 케스토]

이것은 얼마예요?

Do you need anything else?

Ha bisogno di altro?

[아 비쏘노 디 알트로]

또 필요한 것은 없으세요?

No, thank you. Nothing else.

No, grazie. Non c'è bisogno di altro.

[노, 그라치에. 논 체 비쏘노 디 알트로]

네 다른 것은 필요 없어요.

How much is it in total?

Quanto viene in totale?

[꽌토 비에네 인 토타레]

모두 얼마죠?

It's inexpensive / expensive.

È economico. / È costoso.

[에 에꼬노미코 / 에 코스토조]

싸네요. / 비싸네요.

Can you lower the price?

Potete abbassare il prezzo?

[포테테 아바사레 일 프레쏘]

깎아 주실 수 있으세요?

Do you accept credit cards?

Accettate carte di credito?

[아쎄타테 카르테 디 크레디토]

신용카드로 계산되나요?

Can I get a receipt?

Posso avere una ricevuta?

[포쏘 아베레 우나 리체부타]

영수증 좀 주실래요?

Can I have a plastic bag?

Posso avere un sacchetto di plastica?

[포쏘 아베레 운 삭케또 디 플라스티카]

봉지 좀 주실래요?

This is broken.

Questo è rotto.

[퀘스토 에 로토]

이거 망가졌어요.

This is damaged.

Questo è danneggiato.

[퀘스토 에 다네지아토]

이거 손상되었어요.

I'd like to exchange this.

Vorrei scambiare questo.

[보레이 스칸비아레 퀘스토]

교환하고 싶습니다.

< 쇼핑 관련 단어 >

출납원	il	**cassiere**	cashier
비용	il	**costo**	cost
사이즈	la	**taglia**	size
상점	il	**negozio**	store
선물	il	**regalo**	gift
세일	i	**saldi**	sale
손님	il	**cliente**	customer
쇼핑 센터	il	**centro commerciale**	shopping center
영수증	lo	**scontrino**	receipt
영업 시간	l'	**orario di apertura**	opening hour
입구	l'	**ingresso**	entrance
점원	il	**commesso**	clerk
출구	l'	**uscita**	exit
패션	la	**moda**	fashion
품절	-	**esaurito**	sold out
품질	la	**qualità**	quality
피팅 룸	lo	**spogliatoio**	dressing room
환불	il	**rimborso**	refund

< 옷, 패션 관련 단어 >

넥타이	la	**cravatta**	tie
모자	il	**cappello**	hat
바지	i	**pantaloni**	pants
벨트	la	**cintura**	belt
블라우스	la	**blusa**	blouse
우비	l'	**impermeabile**	raincoat
셔츠	la	**camicia**	shirt
속옷	la	**biancheria intima**	underwear
손수건	il	**fazzoletto**	handkerchief
수영복	il	**costume da bagno**	swimsuit
스카프	la	**sciarpa**	scarf
스커트	la	**gonna**	skirt
신발	le	**scarpe**	shoes
양말	le	**calze**	socks
장갑	i	**guanti**	gloves
재킷	la	**giacca**	jacket
청바지	i	**jeans**	jeans
코트	il	**cappotto**	coat
가디건	il	**cardigan**	cardigan

< 치장, 미용 관련 단어 >

핸드백	la	**borsa a mano**	handbag
귀걸이	gli	**orecchini**	earring
지갑	il	**portafoglio**	wallet
동전 지갑	il	**portamonete**	coin wallet
립스틱	il	**rossetto**	lipstick
빗	il	**pettine**	comb
선글라스	gli	**occhiali da sole**	sunglasses
마사지	il	**massaggio**	massage
매니큐어 액	lo	**smalto per unghie**	nail polish
손목시계	l'	**orologio da polso**	wristwatch
아이라이너	l'	**eyeliner**	eyeliner
선 블록	la	**crema solare**	sunscreen
향수	il	**profumo**	perfume
데오드란트	il	**deodorante**	deodorant
아이섀도	l'	**ombretto**	eye shadow
화장	il	**trucco**	makeup
안경	gli	**occhiali**	glasses
팔찌	il	**bracciale**	bracelet
목걸이	la	**collana**	necklace

< 색 >

빨강색	il	**rosso**	red
분홍색	il	**rosa**	pink
주황색	l'	**arancione**	orange
노란색	il	**giallo**	yellow
녹색	il	**verde**	green
파랑색	il	**blu**	blue
보라색	il	**viola**	purple
갈색	il	**marrone**	brown
회색	il	**grigio**	gray
검은색	il	**nero**	black
흰색	il	**bianco**	white

18

숙 박

Do you have rooms available?

Avete camere disponibili?

[아베테 카메레 디스포니블레]

빈 방 있습니까?

Do you have a single / double room?

Avete una camera singola / doppia?

[아베테 우나 카메라 싱골라 / 도피아]

싱글/더블룸 있나요?

I will stay one night. /3 nights.

Rimarrò una notte. / 3 notti.

[리마로 우나 노떼. / 트레 노티.]

1 박 / 3 박 묵겠습니다.

I have a room booked under the name of ...

Ho una camera prenotata a nome di...

[오 우나 카메라 프레노타타 아 노메 디..]

~란 이름으로 예약했습니다.

How much is it per night?

Quanto costa per notte?

[꽌토 코스타 페르 노떼]

하룻밤에 얼마예요?

Does the price include breakfast?

Il prezzo include la colazione?

[일 프레초 인콜루데 라 콜라지오네]

아침 포함된 가격인가요?

What time is breakfast?

A che ora è la colazione?

[아 케 오라 에 라 콜라지오네]

몇 시에 아침인가요?

I want a room with a bathroom.

Voglio una camera con il bagno.

[볼리오 우나 카메라 콘 일 바뇨]

화장실 딸린 방으로 주세요.

How long are you planning to stay?

Per quanto tempo prevede di rimanere?

[페르 콴토 템포 프레베데 디 리마네레]

얼마 동안 머물 예정이십니까?

You need to pay in advance.

È necessario pagare anticipatamente.

[에 네체사리오 파가레 안티치파타멘테]

미리 지불하셔야 합니다.

Where can I use the Internet?

Dove posso usare Internet?

[도베 포쏘 우자레 인터넷]

어디서 인터넷을 쓸 수 있죠?

Is there a free wifi available here?

C'è wifi gratuito disponibile qui?

[체 와이파이 그라투이토 디스포니빌레 퀴]

무료 와이파이가 있나요?

What is the wifi password?

Qual è la password del wifi?

[꽐 에 라 패스워드 델 와이파이]

와이파이 비밀번호가 무엇인가요?

Could you give me my room key?

The room number is….

Potrebbe darmi la chiave della mia camera?
Il numero della camera è...

[포트레베 다르미 라 키아 베라 델라 미아
카메라? 일 누메로 데라 카메라 에...]

제방 열쇠를 주세요. 방 번호는~입니다.

Could you wake me up at ...?

Potrebbe svegliarmi alle...?

[포트레베 스벨리아미 알레...]

~시에 깨워줄 수 있으세요?

The room is too noisy.

La camera è troppo rumorosa.

[라 카메라 에 트로포 루모로사]

방에 소음이 심해요.

The toilet is clogged.

Il water è intasato. [일 와테르 에 인타자토]

화장실이 막혔어요.

The heater does not work.

Il riscaldamento non funziona.

[일 리스칼다멘토 논 푼치오나]

히터가 고장 났어요.

I left my key in the room.

Ho lasciato la chiave nella camera.

[오 라샤토 라 키아베 넬라 카메라]

방에 열쇠를 두고 나왔어요.

The room has not been cleaned.

La camera non è stata pulita.

[라 카메라 논 에 스타타 풀리타]

방이 치워지지 않았어요.

We don't have electricity.

Non abbiamo l'elettricità.

[논 아비아모 레 레트리치타]

전기가 안 들어와요.

The lights are off.

Le luci sono spente. [레 루치 소노 스펜테]

불이 나갔어요.

The TV is out of order.

La TV non funziona.

[라 티비 논 푼치오나]

TV 가 고장 났어요.

Can you give me an extra blanket?

Potrebbe darmi una coperta in più?

[포트레베 다르미 우나 코플란타 인 피우]

이불 하나만 더 주세요.

Could you store my luggage?

Potresti custodire il mio bagaglio?

[포드레스티 쿠스토디레 일 미오 바갈리오]

짐 좀 맡아 주시겠어요?

I would like to check out.

Vorrei fare il check-out.

[보레이 파레 일 첵아웃]

체크아웃 하고자 합니다.

< 숙박, 건물 관련 단어 >

건물	l'	**edificio**	building
더블룸	la	**camera doppia**	double room
룸 서비스	il	**servizio in camera**	room service
방	la	**camera**	room
싱글룸	la	**camera singola**	single room
아파트	l'	**appartamento**	apartment
엘리베이터	l'	**ascensore**	elevator
집	la	**casa**	house
체크아웃	il	**check-out**	check out
체크인	il	**check-in**	check in
층	il	**piano**	floor
포터	il	**facchino**	porter
프론트	la	**reception**	reception
호스텔	l'	**ostello**	hostel
호텔	l'	**hotel**	hotel

<방 안, 사물 관련 단어>

거실	il	**soggiorno**	living room
거울	lo	**specchio**	mirror
냉장고	il	**frigorifero**	refrigerator
헤어 드라이어	l'	**asciugacapelli**	hair dryer
램프	la	**lampada**	lamp
문	la	**porta**	door
발코니	il	**balcone**	balcony
베개	il	**cuscino**	pillow
부엌	la	**cucina**	kitchen
비누	il	**sapone**	soap
사우나	la	**sauna**	sauna
샤워기	la	**doccia**	shower
샴푸	lo	**shampoo**	shampoo
세탁기	la	**lavatrice**	washing machine
소파	il	**divano**	couch
수건	l'	**asciugamano**	towel
열쇠	la	**chiave**	key
오븐	il	**forno**	oven
욕실	il	**bagno**	bathroom
욕조	la	**vasca da bagno**	bathtub

의자	la	**sedia**	chair
이불	la	**coperta**	comforter
장롱	l'	**armadio**	wardrobe
창	la	**finestra**	window
치약	il	**dentifricio**	toothpaste
침대	il	**letto**	bed
침실	la	**camera da letto**	bedroom
칫솔	lo	**spazzolino da denti**	toothbrush
커튼	la	**tenda**	curtain
테이블	il	**tavolo**	table
텔레비전	il	**televisore**	TV
화장실	il	**bagno (WC)**	toilet

<문구 관련 단어>

가위	le	**forbici**	scissor
볼펜	la	**penna a sfera**	ballpoint pen
봉투	la	**busta**	envelope
사전	il	**dizionario**	dictionary
테이프	il	**nastro adesivo**	tape
신문	il	**giornale**	newspaper
펜	la	**penna**	pen
잡지	la	**rivista**	megazine
접착제	la	**colla**	glue
지우개	la	**gomma**	eraser
종이	la	**carta**	paper
책	il	**libro**	book
연필	la	**matita**	pencil

19

식 당

I'd like to book a table.

Vorrei prenotare un tavolo.

[보르레이 프레노타레 운 타볼로]

자리 예약하고 싶습니다.

For how many people?

Quante persone? [콴테 페르소네]

몇 분이시죠?

A table for two people, please.

Un tavolo per due persone, per favore.

[운 타볼로 페르 두에 페르소네, 페르 파보레]

2 명 자리 부탁해요.

138

Do you have any available tables?

Avete qualche tavolo libero?

[아베테 콸케 타볼로 리베로]

자리 있나요?

Could you wait a moment?

Potresti aspettare un attimo?

[포트레스티 아스페타레 운 알티모]

좀 기다려 주시겠습니까?

How long do I have to wait?

Per quanto tempo devo aspettare?

[페르 콴토 템포 데보 아스페타레]

얼마나 기다려야 하나요?

Can I sit here?

Posso sedermi qui? [포쏘 세데르미 퀴]

여기 앉아도 돼요?

I'm hungry.

Ho fame.   [오 파메]

배가 고파요.

I'm thirsty.

Ho sete.   [오 세테]

목이 마릅니다.

Can I see the menu?

Posso vedere il menu? [포쏘 베데레 일 메누]

메뉴 좀 주세요.

What kind of food is this?

Che tipo di cibo è questo?

[케 티포 디 치보 에 퀘스토]

이 음식은 무엇인가요?

Would you like to order?

Desidera ordinare?

[데시데라 오르디나레]

주문하시겠습니까?

I have not decided yet.

Non ho ancora deciso.

[논 오 안코라 데시조]

아직 결정을 못 했어요.

What would you recommend?

Cosa consiglieresti?

[코사 콘시리레스티]

무엇을 추천 하시나요?

Can I get this without...?

Posso avere questo senza...?

[포쏘 아베레 퀘스토 센자...]

이 음식에서 ~ 빼 주실 수 있으세요?

I cannot eat pork.

Non posso mangiare maiale.

[논 포쏘 만자레 마이아레]

돼지 고기를 못 먹어요.

This is not what I ordered.

Questo non è quello che ho ordinato.

[퀘스토 논 에 쿠엘로 키오 오르디나토]

이것은 제가 시킨 것이 아니에요.

Enjoy your meal!

Buon appetito!

[부온 아페티토]

맛있게 드세요.

This tastes good.

Questo è buono.   [퀘스토 에 부오노]

이거 맛있네요.

Bill please.

Il conto, per favore. [일 콘토, 페르 파보레]

계산서를 주세요.

144

< 식당 관련 단어 >

계산서	il	**conto**	bill
나이프	il	**coltello**	knife
냅킨	il	**tovagliolo**	napkin
레모네이드	la	**limonata**	lemonade
맥주	la	**birra**	beer
메뉴	il	**menu**	menu
메인 코스	il	**piatto principale**	main course
물	l'	**acqua**	water
바비큐	il	**barbecue**	barbecue
버터	il	**burro**	butter
빵	il	**pane**	bread
샐러드	l'	**insalata**	salad
설탕	il	**zucchero**	sugar
소금	il	**sale**	salt
소스	la	**salsa**	sauce
수프	la	**zuppa**	soup
스테이크	la	**bistecca**	steak
스푼	il	**cucchiaio**	spoon
아이스크림	il	**gelato**	ice cream
에피타이저	l'	**antipasto**	starter

오믈렛	la	**frittata**	omelette
와인	il	**vino**	wine
요구르트	lo	**yogurt**	yoghurt
우유	il	**latte**	milk
웨이터	il	**cameriere**	waiter
으깬감자	il	**purè di patate**	mashed potatoes
잼	la	**marmellata**	jam
주스	il	**succo**	juice
차	il	**tè**	tea
초콜릿	il	**cioccolato**	chocolate
커피	il	**caffè**	coffee
컵	la	**tazza**	cup
케이크	la	**torta**	cake
팬케이크	il	**pancake**	pancake
포크	la	**forchetta**	fork
피자	la	**pizza**	pizza
후식	il	**dolce**	dessert
후추	il	**pepe**	pepper

< 식품 관련 단어 >

게	il	**granchio**	crab
감자	la	**patata**	potato
고기	la	**carne**	meat
과일	la	**frutta**	fruit
달걀	l'	**uovo**	egg
닭고기	il	**pollo**	chicken meat
당근	la	**carota**	carrot
대구	il	**merluzzo**	cod
돼지고기	il	**maiale**	pork
딸기	la	**fragola**	strawberry
레몬	il	**limone**	lemon
마늘	l'	**aglio**	garlic
멜론	il	**melone**	melon
바나나	la	**banana**	banana
배	la	**pera**	pear
버섯	il	**fungo**	mushroom
복숭아	la	**pesca**	peach
블루 베리	il	**mirtillo**	blueberry
사과	la	**mela**	apple
새우	il	**gambero**	shrimp

생선	il	**pesce**	fish
소고기	il	**manzo**	beef
소세지	la	**salsiccia**	sausage
송어	la	**trota**	trout
수박	l'	**anguria**	watermelon
순록고기	la	**carne di renna**	reindeer meat
쌀	il	**riso**	rice
양고기	l'	**agnello**	lamb
양배추	il	**cavolo**	cabbage
양파	la	**cipolla**	onion
연어	il	**salmone**	salmon
오렌지	l'	**arancia**	orange
오리고기	l'	**anatra**	duck meat
오이	il	**cetriolo**	cucumber
올리브	l'	**oliva**	olives
완두콩	il	**pisello**	pea
참치	il	**tonno**	tuna
채소	la	**verdura**	vegetables
청어	l'	**aringa**	herring
치즈	il	**formaggio**	cheese
콩	il	**fagiolo**	bean

토마토	il	**pomodoro**	tomato
파인애플	l'	**ananas**	pineapple
포도	l'	**uva**	grape
햄	il	**prosciutto**	ham

20

병 원

What seems to be the matter?

Qual è il problema?

[콸 에 일 프로블레마]

상태가 어떠세요?

It hurts.

Fa male. [파 말레]

아파요.

I'm injured.

Sono ferito/a. [소노 페리토/페리타]

다쳤어요.

I feel sick.

Mi sento male.

[미 센토 말레]

몸이 안 좋아요.

I don't feel good.

Non mi sento bene.

[논 미 센토 베네]

기분이 좋지 않습니다.

I have the flu.

Ho l'influenza.

[오 린프루엔자]

독감에 걸렸어요.

I have a cold.

Ho il raffreddore.

[오 일 라프레도레]

감기에 걸렸어요.

I'm tired.

Sono stanco/a.

[소노 스탄코/스탄카]

피곤해요.

I'm allergic to ....

Sono allergico/a ...

[소노 알레르지코/알레르지카...]

~에 알레르가가 있어요.

I have pain in …

Ho dolore a... [오 돌로레 아...]

~가 아파요.

I have a cough / runny nose / fever / chills.

Ho tosse / il naso che cola / febbre / brividi.

[오 토쎄 / 일 나소 케 콜라 / 페브레 / 브리비디]

기침/콧물/열/오한 있어요.

I have diarrhea.

Ho la diarrea. [오 라 디아레아]

설사해요.

I have a headache / stomachache / toothache.

Ho mal di testa / stomaco / denti.

[오 말 디 테스타 / 스토마코 / 덴티]

두통/복통/치통이 있어요.

I have a sore throat.

Ho mal di gola.

[오 말 디 골라]

목이 부었어요.

I feel dizzy.

Ho le vertigini. [오 레 베르틴지니]

어지러워요.

My nose is blocked.

Il mio naso è intasato.

[일 미오 나소 에 인타사토]

코가 막혔어요.

문법 맛보기

주요 동사의 변화를 외워 둡시다. 이 표에서는 parlare, scrivere를 제외하고는 불규칙 변화합니다.

	stare (지내다,있다)	essere (이다)	avere (가지다)	venire (오다)	andare (가다)
io	sto	sono	ho	vengo	vado
tu	stai	sei	hai	vieni	vai
lui/lei	sta	è	ha	viene	va
noi	stiamo	siamo	abbiamo	veniamo	andiamo
voi	state	siete	avete	venite	andate
loro	stanno	sono	hanno	vengono	vanno
	fare (하다)	dare (주다)	dire (말하다, tell)	parlare (말하다, speak)	scrivere (쓰다)
io	faccio	do	dico	parlo	scrivo
tu	fai	dai	dici	parli	scrivi
lui/lei	fa	dà	dice	parla	scrive
noi	facciamo	diamo	diciamo	parliamo	scriviamo
voi	fate	date	dite	parlate	scrivete
loro	fanno	danno	docpmp	parlano	scrivono

< 신체 관련 단어 >

가슴	il	**petto**	breast
귀	l'	**orecchio**	ear
눈	l'	**occhio**	eye
뼈	l'	**osso**	bone
등	la	**schiena**	back
머리	la	**testa**	head
머리카락	i	**capelli**	hair
목	il	**collo**	neck
무릎	il	**ginocchio**	knee
발	il	**piede**	foot
발가락	il	**dito del piede**	toe
발목	la	**caviglia**	ankle
배	la	**pancia**	stomach
배꼽	l'	**ombelico**	bellybutton
뺨	la	**guancia**	cheek
손	la	**mano**	hand
손가락	il	**dito**	finger
손목	il	**polso**	wrist
신체	il	**corpo**	body

어깨	la	**spalla**	shoulder
얼굴	il	**viso**	face
이마	la	**fronte**	forehead
입	la	**bocca**	mouth
치아	il	**dente**	teeth
코	il	**naso**	nose
턱	il	**mento**	chin
팔	il	**braccio**	arm
팔꿈치	il	**gomito**	elbow
피부	la	**pelle**	skin
허벅지	la	**coscia**	thigh

Help!

Aiuto! [아이우토]

도와줘요!

Be careful!

Stai attento/a! [스타이 앗텐토/앗텐타]
Fai attenzione! [파이 아텐지오네]

조심해!

Fire!

Fuoco! [푸오코]

불이야!

158

Stop!

Fermati!/Fermatevi! [페르마티!/페르마테비]

멈춰요!/ 다들 멈춰요!

Quickly!

Presto! [프레스토]

빨리요!

Police!

Polizia! [폴리치아]

경찰!

Call an ambulance!

Chiamate un'ambulanza!

[키아마테 운 암부란자]

구급차를 불러주세요.

I forgot ...

Ho dimenticato...

[오 디멘티캐토...]

~을 잊어버렸어요.

I lost my ...

Ho perso il/la...

[오 페르소 일/라...]

~을 잃어버렸어요.

Did you find my ...?

Hai trovato il mi o/ la mia...?

[아이 트로바토 일 미오 / 라 미아...]

내 ~을 찾았나요?

My ... has been stolen.

Il mio ... è stato rubato.

La mia ... è stata rubata.

[일 미오/라 미아... 에 스타토 루바토/스타타

루바타]

내 ~가 도둑 맞았어요.

Call the police!

Chiama la polizia!

[키아마 라 폴리치아]

경찰을 불러주세요.

I'm innocent.

Sono innocente.   [소노 이노천테]

나는 무죄에요.

I want a lawyer.

Voglio un avvocato. [볼리오 운 애브보카토]

변호사를 원합니다.

문법 맛보기

이탈리아어에서 형용사는 명사의 성, 수에 따라 어미가 변화하는데 -o로 끝나는 형용사와 -e로 끝나는 형용사로 나뉩니다.

형용사 종류	단수형 (남성)	단수형 (여성)	복수형 (남성)	복수형 (여성)
-o 로 끝남	-o	-a	-i	-e
-e 로 끝남	-e		-i	

예) Alto (높은)

남성 단수: Il palazzo è alto. (그 건물은 높다.)

여성 단수: La torre è alta. (그 탑은 높다.)

남성 복수: I palazzi sono alti. (그 건물들은 높다.)

여성 복수: Le torri sono alte. (그 탑들은 높다.)

예) Grande (큰)

남성 단수: Il cane è grande. (그 개는 크다.)

여성 단수: La casa è grande. (그 집은 크다.)

남성 복수: I cani sono grandi. (그 개들은 크다.)

여성 복수: Le case sono grandi. (그 집들은 크다.)

부록: 단어 색인

영어	한국어	정관사	이탈리아어
account	계좌	il	conto
address	주소	l'	indirizzo
adult(female)	어른(여)	l'	adulta
adult(male)	어른(남)	l'	adulto
air mail	항공우편	la	posta aerea
airline	항공사	la	compagnia aerea
airplane	비행기	l'	aereo
airport	공항	l'	aeroporto
America	미국	gli	Stati Uniti
amusement park	유원지	il	parco di divertimenti
ankle	발목	la	caviglia
apartment	아파트	l'	appartamento
apple	사과	la	mela
April	4 월		aprile
arm	팔	il	braccio
ATM	ATM	il	bancomat
August	8 월		agosto
aunt	이모, 고모	la	zia
autumn	가을	l'	autunno
back	등	la	schiena
bakery	빵집	la	panetteria
balcony	발코니	il	balcone
ballpoint pen	볼펜	la	penna a sfera

banana	바나나	la	banana
bank	은행	la	banca
bar	바	il	bar
barbecue	바비큐	il	barbecue
bathroom	욕실	il	bagno
bathtub	욕조	la	vasca da bagno
battery	배터리	la	batteria
bean	콩	il	fagiolo
beauty salon	미용실	il	salone di bellezza
bed	침대	il	letto
bedroom	침실	la	camera da letto
beef	소고기	il	manzo
beer	맥주	la	birra
bellybutton	배꼽	l'	ombelico
belt	벨트	la	cintura
bicycle	자전거	la	bicicletta
bill	계산서	il	conto
black	검은색	il	nero
blouse	블라우스	la	blusa
blue	파랑색	il	blu
blueberry	블루 베리	il	mirtillo
body	신체	il	corpo
bone	뼈	l'	osso
book	책	il	libro
bookstore	서점	la	libreria
boy	소년	il	ragazzo
boyfriend	남자 친구	il	fidanzato

bracelet	팔찌	il	bracciale
bread	빵	il	pane
breast	가슴	il	petto
bridge	다리	il	ponte
brochure	안내 책자	l'	opuscolo informativo
brother	형제	il	fratello
brown	갈색	il	marrone
building	건물	l'	edificio
bus	버스	l'	autobus
bus driver	버스 운전사	l'	autista dell'autobus
bus stop	버스 정류장	la	fermata dell'autobus
business trip	출장	il	viaggio di lavoro
butter	버터	il	burro
cabbage	양배추	il	cavolo
cake	케이크	la	torta
camera	카메라	la	fotocamera
car	자동차	l'	automobile
cardigan	가디건	il	cardigan
carrot	당근	la	carota
carry-on luggage	기내 수하물	il	bagaglio a mano
cash	현금	il	contante
cashier	출납원	il	cassiere
castle	성	il	castello
cathedral	성당	la	cattedrale
chair	의자	la	sedia
charger	충전기	il	caricabatterie

check in	체크인	il	check-in
check out	체크아웃	il	check-out
checked in baggage	위탁 수하물	il	bagaglio registrato
cheek	뺨	la	guancia
cheese	치즈	il	formaggio
chicken meat	닭고기	il	pollo
children	어린이	i	bambini
chin	턱	il	mento
China	중국	la	Cina
Chinese	중국어	il	cinese
chocolate	초콜릿	il	cioccolato
church	교회	la	chiesa
cinema	영화관	il	cinema
clerk	점원	il	commesso
climate	기후	il	clima
clothing store	옷가게	il	negozio di abbigliamento
cloud	구름	la	nuvola
coat	코트	il	cappotto
cod	대구	il	merluzzo
coffee	커피	il	caffè
coin	동전	la	moneta
coin wallet	동전 지갑	il	portamonete
colleague	동료	il/la	collega
comb	빗	il	pettine
comforter	이불	la	coperta
computer	컴퓨터	il	computer

cost	비용	il	costo
couch	소파	il	divano
couple	부부	la	coppia
cousin(female)	사촌(여)	la	cugina
cousin(male)	사촌(남)	il	cugino
crab	게	il	granchio
credit card	카드	la	carta
crosswalk	횡단 보도	l'	attraversamento pedonale
cucumber	오이	il	cetriolo
cup	컵	la	tazza
currency exchange	환전	il	cambio valuta
curtain	커튼	la	tenda
customer	손님	il	cliente
customs	세관	la	dogana
Danish	덴마크어	il	danese
Denmark	덴마크	la	Danimarca
daughter	딸	la	figlia
day	날	il	giorno
December	12 월		dicembre
degree	온도	il	grado
deodorant	데오드란트	il	deodorante
department store	백화점	il	grande magazzino
deposit	예금	il	deposito
dessert	후식	il	dolce
dictionary	사전	il	dizionario
dollar	달러	il	dollaro

domestic flight	국내선	il	volo nazionale
domestic mail	국내우편	la	posta nazionale
door	문	la	porta
double room	더블룸	la	camera doppia
dressing room	피팅 룸	lo	spogliatoio
duck meat	오리고기	l'	anatra
Dutch	네덜란드어	l'	olandese
duty free shop	면세점	il	negozio duty-free
ear	귀	l'	orecchio
earring	귀걸이	gli	orecchini
east	동쪽	l'	est
egg	달걀	l'	uovo
elbow	팔꿈치	il	gomito
electricity	전기	l'	elettricità
elevator	엘리베이터	l'	ascensore
e-mail	이메일	l'	email
England	영국	il	Regno Unito
English	영어	l'	inglese
entrance	입구	l'	ingresso
entrance fee	입장료	il	prezzo d'ingresso
entrance ticket	입장권	il	biglietto d'ingresso
envelope	봉투	la	busta
eraser	지우개	la	gomma
Euro	유로	l'	euro
exchange rate	환율	il	tasso di cambio
exit	출구	l'	uscita
eye	눈	l'	occhio

eye shadow	아이섀도	l'	ombretto
eyeliner	아이라이너	l'	eyeliner
face	얼굴	il	viso
family	가족	la	famiglia
fashion	패션	la	moda
father	아버지	il	padre
February	2 월		febbraio
finger	손가락	il	dito
Finland	핀란드	la	Finlandia
Finnish	핀란드어	il	finlandese
fire station	소방서	la	caserma dei pompieri
fish	생선	il	pesce
flight	항공편	il	volo
flight number	항공편 번호	il	numero di volo
flood	홍수	l'	alluvione
floor	층	il	piano
fog	안개	la	nebbia
foot	발	il	piede
forehead	이마	la	fronte
foreign country	외국	il	paese straniero
fork	포크	la	forchetta
France	프랑스	la	Francia
free time	자유 시간	il	tempo libero
French	프랑스어	il	francese
Friday	금요일		venerdì
frost	서리	la	brina
fruit	과일	la	frutta

garlic	마늘	l'	aglio
German	독일어	il	tedesco
Germany	독일	la	Germania
gift	선물	il	regalo
gift shop	기념품점	il	negozio di souvenir
girl	소녀	la	ragazza
girlfriend	여자 친구	la	fidanzata
glasses	안경	gli	occhiali
gloves	장갑	i	guanti
glue	접착제	la	colla
grandchild	손자 / 손녀	il/la	nipote
grandfather	할아버지	il	nonno
grandmother	할머니	la	nonna
grape	포도	l'	uva
gray	회색	il	grigio
green	녹색	il	verde
guidebook	가이드북	la	guida turistica
hair	머리카락	i	capelli
hair dryer	헤어 드라이어	l'	asciugacapelli
ham	햄	il	prosciutto
hand	손	la	mano
handbag	핸드백	la	borsa a mano
handkerchief	손수건	il	fazzoletto
hat	모자	il	cappello
head	머리	la	testa
headphones	헤드폰	le	cuffie

herring	청어	l'	aringa
Holland	네덜란드	i	Paesi Bassi
honeymoon	신혼 여행	il	viaggio di nozze
hospital	병원	l'	ospedale
hostel	호스텔	l'	ostello
hotel	호텔	l'	hotel
house	집	la	casa
humidity	습도	l'	umidità
hurricane	허리케인	l'	uragano
husband	남편	il	marito
ice cream	아이스크림	il	gelato
interest	이자	l'	interesse
international flight	국제선	il	volo internazionale
international mail	국제우편	la	posta internazionale
Internet	인터넷	l'	internet
Internet cafe	PC 방	l'	internet cafè
Italian	이탈리아어	l'	italiano
Italy	이탈리아	l'	Italia
itinerary	일정표	l'	itinerario
jacket	재킷	la	giacca
jam	잼	la	marmellata
January	1 월		gennaio
Japan	일본	il	Giappone
Japanese	일본어	il	giapponese
jeans	청바지	i	jeans
juice	주스	il	succo

July	7 월		luglio
June	6 월		giugno
key	열쇠	la	chiave
kiosk	키오스크	l'	edicola
kitchen	부엌	la	cucina
knee	무릎	il	ginocchio
knife	나이프	il	coltello
Korea	한국	la	Corea del Sud
Korean	한국어	il	coreano
lamb	양고기	l'	agnello
lamp	램프	la	lampada
laptop	랩탑	il	laptop
lemon	레몬	il	limone
lemonade	레모네이드	la	limonata
library	도서관	la	biblioteca
lightning	번개	il	fùlmine
lipstick	립스틱	il	rossetto
living room	거실	il	soggiorno
lost and found	분실물 사무소	l'	ufficio oggetti smarriti
mailbox	우편함	la	cassetta delle lettere
main course	메인 코스	il	piatto principale
makeup	화장	il	trucco
man	남자	l'	uomo
map	지도	la	mappa
March	3 월		marzo
mashed potatoes	으깬감자	il	purè di patate

massage	마사지	il	massaggio
May	5 월		maggio
meat	고기	la	carne
megazine	잡지	la	rivista
melon	멜론	il	melone
memory card	메모리카드	la	scheda di memoria
menu	메뉴	il	menu
Mexico	멕시코	il	Messico
milk	우유	il	latte
minute	분	il	minuto
mirror	거울	lo	specchio
miss	미스	la	signorina
mister	미스터	il	signore
Monday	월요일		lunedì
money	돈	il	denaro
month	달	il	mese
mother	어머니	la	madre
mouth	입	la	bocca
museum	박물관	il	museo
mushroom	버섯	il	fungo
nail polish	매니큐어 액	lo	smalto per unghie
napkin	냅킨	il	tovagliolo
nationality	국적	la	nazionalità
neck	목	il	collo
necklace	목걸이	la	collana
neighbor (female)	이웃(여)	la	vicina

neighbor (male)	이웃(남)	il	vicino
newborn (female)	유아(여)	la	neonata
newborn (male)	유아(남)	il	neonato
newspaper	신문	il	giornale
north	북쪽	il	nord
Norway	노르웨이	la	Norvegia
Norwegian	노르웨이어	il	norvegese
nose	코	il	naso
November	11 월		novembre
October	10 월		ottobre
olives	올리브	l'	oliva
omelette	오믈렛	la	frittata
oneway ticket	편도표	il	biglietto di sola andata
onion	양파	la	cipolla
opening hour	영업 시간	l'	orario di apertura
orange	주황색	l'	arancione
orange	오렌지	l'	arancia
oven	오븐	il	forno
package	소포	il	pacco
palace	궁전	il	palazzo
pancake	팬케이크	il	pancake
pants	바지	i	pantaloni
paper	종이	la	carta
parents	부모님	i	genitori
park	공원	il	parco
passenger	승객	il	passeggero

passport	여권	il	passaporto
password	비밀 번호	il	codice segreto
pea	완두콩	il	pisello
peach	복숭아	la	pesca
pear	배	la	pera
pen	펜	la	penna
pencil	연필	la	matita
pepper	후추	il	pepe
perfume	향수	il	profumo
person	사람	la	persona
pharmacy	약국	la	farmacia
phone	전화	il	telefono
photo	사진	la	fotografia
pillow	베개	il	cuscino
pineapple	파인애플	l'	ananas
pink	분홍색	il	rosa
pizza	피자	la	pizza
plane ticket	비행기 표	il	biglietto aereo
police station	경찰서	la	stazione di polizia
pork	돼지고기	il	maiale
port	항구	il	porto
porter	포터	il	facchino
post office	우체국	l'	ufficio postale
postage	우편 요금	la	tariffa postale
postcard	엽서	la	cartolina postale
potato	감자	la	patata
printer	프린터	la	stampante

purple	보라색	il	viola
quality	품질	la	qualità
queue	차례, 줄	la	fila
rain	비	la	pioggia
rainbow	무지개	l'	arcobaleno
raincoat	우비	l'	impermeabile
receipt	영수증	lo	scontrino
reception	프론트	la	reception
recipient	수신인	il	destinatario
red	빨강색	il	rosso
refrigerator	냉장고	il	frigorifero
refund	환불	il	rimborso
reindeer meat	순록고기	la	carne di renna
relative	친척	il/la	parente
reservation	예약	la	prenotazione
restaurant	레스토랑	il	ristorante
rice	쌀	il	riso
road	도로	la	strada
room	방	la	camera
room service	룸 서비스	il	servizio in camera
round-trip ticket	왕복표	il	biglietto di andata e ritorno
salad	샐러드	l'	insalata
sale	세일	i	saldi
salmon	연어	il	salmone
salt	소금	il	sale
Saturday	토요일		sabato

sauce	소스	la	salsa
sauna	사우나	la	sauna
sausage	소세지	la	salsiccia
scarf	스카프	la	sciarpa
school	학교	la	scuola
scissor	가위	le	forbici
seat belt	안전 벨트	la	cintura di sicurezza
second	초	il	secondo
sender	발신인	il	mittente
September	9 월		settembre
shampoo	샴푸	lo	shampoo
shirt	셔츠	la	camicia
shoe store	신발가게	il	negozio di scarpe
shoes	신발	le	scarpe
shopping center	쇼핑 센터	il	centro commerciale
shoulder	어깨	la	spalla
shower	샤워기	la	doccia
shrimp	새우	il	gambero
sidewalk	보도	il	marciapiede
SIM card	심카드	la	scheda SIM
single room	싱글룸	la	camera singola
sister	자매	la	sorella
size	사이즈	la	taglia
skin	피부	la	pelle
skirt	스커트	la	gonna
slaughter house	정육점	la	macelleria
sleet	진눈깨비	il	nevischio

smart phone	스마트폰	lo	smartphone
snow	눈	la	neve
snowstorm	눈보라	la	tempesta di neve
soap	비누	il	sapone
socket	콘센트	la	presa elettrica
socks	양말	le	calze
sold out	품절	-	esaurito
son	아들	il	figlio
soup	수프	la	zuppa
south	남쪽	il	sud
Spain	스페인	la	Spagna
Spanish	스페인어	lo	spagnolo
spoon	스푼	il	cucchiaio
spring	봄	la	primavera
stamp	우표	il	francobollo
starter	에피타이저	l'	antipasto
station	정류장	la	fermata
steak	스테이크	la	bistecca
stomach	배	la	pancia
stopover	스탑 오버	lo	scalo
store	상점	il	negozio
storm	폭풍	la	tempesta
strawberry	딸기	la	fragola
subway	지하철	la	metropolitana
sugar	설탕	il	zucchero
summer	여름	l'	estate
sun	해	il	sole

Sunday	일요일		domenica
sunglasses	선글라스	gli	occhiali da sole
sunscreen	선 블록	la	crema solare
supermarket	슈퍼마켓	il	supermercato
Sweden	스웨덴	la	Svezia
Swedish	스웨덴어	il	svedese
swimming pool	수영장	la	piscina
swimsuit	수영복	il	costume da bagno
table	테이블	il	tavolo
tablet pc	태블릿 pc	il	tablet PC
tape	테이프	il	nastro adesivo
tax	세금	la	tassa
taxi	택시	il	taxi
tea	차	il	tè
teeth	치아	il	dente
temperature	기온	la	temperatura
text message	문자 메시지	il	messaggio di testo
the day after tomorrow	모레	il	dopodomani
the day before yesterday	그저께		l'altro ieri
theater	극장	il	teatro
thigh	허벅지	la	coscia
thunder	천둥	il	tuono
Thursday	목요일		giovedì
ticket office	매표소	la	biglietteria
tie	넥타이	la	cravatta
time	시간	l'	ora

timetable	시간표	l'	orario
today	오늘		oggi
toe	발가락	il	dito del piede
toilet	화장실	il	bagno (WC)
tomato	토마토	il	pomodoro
tomorrow	내일	il	domani
toothbrush	칫솔	lo	spazzolino da denti
toothpaste	치약	il	dentifricio
tourism	관광	il	turismo
tourist	관광객	il	turista
tourist office	관광 안내소	l'	ufficio turistico
towel	수건	l'	asciugamano
town hall	시청	il	municipio
tracking number	배송조회번호	il	numero di tracciamento della spedizione
traffic	교통	il	traffico
traffic light	교통 신호	il	semaforo
train	기차	il	treno
train station	기차역	la	stazione ferroviaria
tram	트램	il	tram
traveler's checks	여행자 수표	il	assegno viaggiatore
trip	여행	il	viaggio
trout	송어	la	trota
Tuesday	화요일		martedì
tuna	참치	il	tonno
TV	텔레비전	il	televisore

twin (female)	쌍둥이(여)	la	gemella
twin (male)	쌍둥이(남)	il	gemello
uncle	삼촌	lo	zio
underwear	속옷	la	biancheria intima
university	대학	l'	università
vegetables	채소	la	verdura
visa	사증, 비자	il	visto
waiter	웨이터	il	cameriere
wallet	지갑	il	portafoglio
wardrobe	장롱	l'	armadio
washing machine	세탁기	la	lavatrice
water	물	l'	acqua
watermelon	수박	l'	anguria
weather	날씨	il	tempo
weather forecast	일기 예보	le	previsioni del tempo
website	웹 사이트	il	sito web
Wednesday	수요일		mercoledì
week	주	la	settimana
weekday	평일	i	giorni feriali
weekend	주말	il	fine settimana
west	서쪽	l'	ovest
white	흰색	il	bianco
wife	아내	la	moglie
wind	바람	il	vento
window	창	la	finestra
wine	와인	il	vino

winter	겨울	l'	inverno
woman	여자	la	donna
wrist	손목	il	polso
wristwatch	손목시계	l'	orologio da polso
year	년	l'	anno
yellow	노란색	il	giallo
yesterday	어제	il	ieri
yoghurt	요구르트	lo	yogurt
ZIP code	우편 번호	il	codice postale
zoo	동물원	lo	zoo